취 호 공 원

취호공원

발　행 | 2024년 4월 16일
저　자 | 이정림
펴낸이 | 한건희
펴낸곳 | 주식회사 부크크
출판사등록 | 2014.07.15.(제2014-16호)
주　소 | 서울특별시 금천구 가산디지털1로 119 SK트윈타워 A동 305호
전　화 | 1670-8316
이메일 | info@bookk.co.kr

ISBN | 979-11-410-8123-2

www.bookk.co.kr

취호공원

이정림 시집

차 례

3부

4부

5부

작가소개

프롤로그

우리의 낮과 밤이
평온하길 바라며
글을 쓴다.

1부

취호공원[1] 1

새하얀 새벽 여섯 시
집 앞 공원길 담장에는
진분홍 부겐베리아 꽃잎이
한가득 흘러내려요.

그 꽃잎을 따라 자갈길을 걷다보면
어디선가 불어오는 무수한 바람과
하늘로 쫙 뻗어 우수수 소리를 내는 짙은 대나무 숲
그 뒤, 호숫가 한편에는 줄지어 버드나무 잎이 둥글게
살랑거리고
광활한 물결 위를 뒤덮은 커다란 연꽃들을
만나게 됩니다.

그래요,
이곳은 내게

이 비밀스러운 시간의 조각은

바람,

대나무, 버드나무
연꽃입니다.

---

1) 중국 운남성 쿤밍시에 있는 호수공원

취호공원 2

이곳에 도착한 후부터 이상하게
새벽 여섯시면 감긴 태엽이 풀린 듯
잠에서 깨어나

복층에 덩그러니 놓여있는 낡은 매트리스 위에 누워
보이는 거라곤, 커튼도 없는 커다란 거실 창으로 쏟아지는
따가운 햇볕과 그 아래 서 있는
늙은 플라타너스 한 그루

모든 게 마치 세상에 태어나 처음 보는 풍경마냥
낯설고 아득하지
지난밤 삶과 죽음의 경계에 서서 거세게 몰아치던
폭풍이 아무것도 아니었던 것처럼 그렇게
매일 새날이 왔어

자꾸만 흐려지는 눈앞을 비비며 삐거덕 거리는
계단을 내려가 차디찬 물로 연거푸 세수를 하고
허겁지겁 공원으로
조금도 집에 머물 수 없었거든
다시 짙은 어둠이 내 숨을 죄 올 테니까
다시 깊은 나락에서 뒹굴 게 될 테니까

밖은 벌써 환하고
길에는 진분홍 꽃잎이 나부끼는
연녹색 여린 버들잎과 백색 연꽃이 가득한
쿤밍인의 온갖 모습을 담고 있던

취호

그래, 나는 늘 그곳에 있었어.

홀로 우두커니
아주 오랫동안
그곳에 있었지.

취호공원 3

비 내리는 날에는 뿌연 흙냄새가 일었다.
사납게 후드득 떨어지는 빗방울이
호수의 표면에 튕겨지고
사람들이 하나 둘 거리에서 사라지면
나는 우산도 없이 또다시 공원을 걷는다.

이역만리 고국에서 이곳으로 떠나올 때
간절히 바라고 바랐던 것은
오직 쏟아지는 비를 마음껏 맞아 보는 것이었다.

작은 흠집조차 두려워 이리저리 피하던 겁 많은 인생

어느새 울리는 천둥소리와 번쩍이는 번개 속에서
온몸으로 흐르는 빗줄기에 적시며
요동치는 호숫가를 바라보고 서 있노라면
영혼의 어둠은 저만치 사라지고
육신은 차갑게 얼어붙는다.

자연으로 거듭날 수 있기를,

비 내리는 취호는
이 숨죽인 적막한 세상은
내리치는 비처럼
기이했다.

취호공원 4

웅성웅성 북적북적, 공원 안 길목에 펼쳐진 아침시장
엿가락처럼 한 줄로 늘어선 노점 가판대 위에는
감자, 양파, 양배추, 당근, 새파란 피망, 빨간 토마토,
하얀 오리 알들이 가득 쌓여 있고
장바구니를 쥔 주민들이 상인들과 이리저리 흥정을 한다.
사람들 발목 사이사이에는 주인을 따라나선 개들이
서로 엉켜 으르렁 거리고 꼬리에 꼬리를 물고
멀리서는 아침 체조의 시작을 알리는 음악소리가 쿵쾅
거린다. 곳곳에서 펼쳐지는 에어로빅, 칼춤, 쿵푸
알 수 없는 몸짓들 신기하고 신기하구나.
여기에 주말에는 거리의 벽에 혼처를 찾는 구혼광고가
빽빽이 붙고, 카드놀이를 하는 사람, 비파를 연주하는
사람, 알록달록 소수민족들이 둥글게 모여 추는 떼 춤
지글지글 굽는 양 꼬치, 만두와 찐빵, 볶음면의 냄새가 한 가득
바닥에 판을 깔고 털모자를 뜨개질 하는 할머니
오래된 골동품을 파는 할아버지
구두닦이 하는 엄마와 그 옆에서 숙제하는 어린 아들
취호의
사람들
사람들.

취호공원 5

붉은 노을이 호수의 표면위로 내려서면
사람들이 삼삼오오 공원으로 모여들었다.
나이테가 수없이 겹쳐진 나무둥치 위에 올려진
커다란 검은 카세트에서는 형체를 알 수 없는
오래된 음악이 흐르고
따뜻한 바람이 버드나무 잎을 흔들고
연인들이 곳곳에서 속삭이며 반짝거리고
어느새 가로등이 하나 둘 켜지면
어둑해진 밤하늘 아래서 나는
그 지독한 경쟁과 이기심과 시기심이 난무한
내 나라를 떠올린다.
벗어날 수 없을 것 같던, 그곳의 파란만장한 세계를
욕망의 나라, 오염된 사람들
또 함께 웃고 울던 외로운 그들
덫에 걸려 몸부림치던 우리
버리고 온 것이 그리워 사무쳐지는 것은
아직 그곳에 담겨있는 따뜻함 때문일까
맑은 강, 푸른 산 어느 봄날의 매화향기가
도무지 잊혀 지지 않는다.

밤은 이렇게 까맣게 타들어갔다.

2부

불면(不眠)

꿈을 꾼다.
심장이 오그라들 것 같이
아슬아슬한,

어릴 적 동무들과 음산한 숙소
누구 하나 말이 없다.
눈 쌓인 가파른 길을 내려가는 버스를 타고
삭막하게 그지없는 놀이동산을 향하여
계속 되는 여정(旅程)

창백한 나는 곧 질식하리라.

잠재된 생(生)은 늘 같은 모양이다.

1997년, 어느 지하실의 기억

대학가 자취골목, 빽빽하게 세워진 건물 사이사이에
사람구함이라는 표지만 붙은 지하계단이 있었습니다.
어느 뜨거운 여름날 그 좁고 어두운 계단을 내려가
차갑게 닫힌 쇠문을 열어 봅니다.
허옇게 날리는 실밥들 드르륵 거리는 미싱 소리
전태일의 70년도 아닌데 그곳에는 여전히 사람들이 있
습니다. 12시간 노동, 하루걸러 계속 되는 야근
그것까지 해야 삼십 팔 만원 된다는 메리야스 하청업체
시다 일.
짝꿍 시다 윤희는 세상에서 가장 부러운 건 사무실에
앉아 일하는 경리라 합니다. 중학교 검정고시 학원비를
모아야 한다는 미숙이는 매일 야근해서
한 푼이라도 더 벌었으면 하고, 스물두 살 젖먹이 엄마
혜경이는 자기같이 배운 것 없는 사람을 써주는 일이
있어 감사하다 했습니다. 모두 기다리던 점심시간
양파 몇 조각 떠 있는 멀건 된장국, 김치, 콩나물 무침
천 원짜리 매식. 엊그제 파마하고 로션 하나 샀다며
자기는 과소비가 심해 큰일이라는 윤희가

밥숟가락을 입에 넣으며 대학생 언니는 처음이네 하며
나를 향해 웃습니다.

다시 시작하는 쉼 없는 일

노동자 보다 더 검고 야윈 불안한 눈빛의 사장이

아침부터 계속 틀어놓은 오늘하루 행복하길로 시작하는
김종서의 아름다운 구속

미칠 것 같은 하루,

그들을 뒤로 한 채 그곳을 빠져 나옵니다.

쇠문 앞에서 보이는 지상의 파란 하늘

그곳으로 가는 멀고 긴 계단

한걸음, 한걸음

나는 그들의 머리를 밟고 세상을 오릅니다.

장마

천둥번개를 동반한
집중호우가 중부권을
중심으로 발령되었다.

하늘은 검고 쏟아지는
빗줄기는 강렬하다.

창을 때리는 거친
물방울 속에서
들리는 희미한 외침

골목길 한편에
우두커니 비를 맞고
서 있는 고양이 한 마리

참고 참아 터지는
어두운 울음은
네 것이더냐

그렇게 긴 비가 시작하였다.

삭발

가늘고 초라한
지쳐버린 삼십년의 세월이
늙은 이발사의 손에 깎여 나간다.

섬뜩하고 낯설게
드러난 허연 속살의
내 모습은 참으로 기괴하다.

나는 보고 싶었던 것이야
처음은 어떻게 시작되는지
다시 모든 것이, 돋아날 수 있는지

고통이 송두리째 밀려 나간다.
그 자리에 새로운 고뇌가
자라날 것인가.

불량품

처음부터
넘을 수 없는 건
나였다.

아무리 어르고 달래보아도
도통 작동하지 않았다.

불량한 몸
불량한 맘

그런 내가
혹여 눈에 띨까
구석으로 움츠린다.

아무것도 없는
하루를 보내고
견뎌내는 그 하나만을
딛고 선다.

햇살은 따뜻하고
바람은 차다.

언젠가는 어딘가에
볼품없는 삶을 쏟자.

잡아두지 못한
나를 끌며
하루를 산다.

내가 너를 버린 이유

베란다에 두었던 몇 개의 화분
중국에 다녀 올 동안 관리를 부탁했건만
무심한 남편은 그들을 잊었다.

혹독한 여름 더위에
모두 말라 사그라져 버리고
너, 알라카시아만 여전히
푸른 잎을 펼치고 있었다.

뜨거운 빛에 물 한 모금 없이
어떻게 살아남았나

놀란 나는 흙을 파내어 본다.
더 깊고 강하게 내리 뻗은
다른 식물에 엉켜 붙어
뽑히지 않는 뿌리

나는 더 이상 네 푸름을
견딜 수 없어 밖으로
화분을 던져버렸다.

알아두어라, 너무 질긴 생명은
끔찍한 법이다.

개미떼를 죽이다

이른 아침, 밥 지으러 싱크대 앞에 서다.
줄지어 수도꼭지를 맴도는 개미떼
어디로 가는지 묻지도 않고
물을 틀어 지난밤 쌓아두었던 설거지를 한다.

안방으로 들어와 헝클어진 이부자리를 들추니
방모서리로 슬금슬금 기어가는 개미들
모른 척 청소기를 돌린다.

수십의 생명이 내손에서 까딱까딱 사라져 간다.
개미목숨 낸들 아나

깨끗해진 집구석에 앉아
따뜻한 차 한 잔 마시며
혼자 뱉어내는 궁시렁

무엇이 그리 급하다고
기다려나 줄 걸.

내 사랑

내 사랑은 너무 허무하여
노래가 될 수 없네.

달콤한 사랑의 속삭임도
한 번의 입맞춤도 없는

잠깐의 스침이 가슴에 남아
오랜 시간 머물다 간
그런 바보 같은, 바보 같은
사랑뿐이었네.

소라

가만히 귀 기울이면
바다 속 깊은 곳 생명들의 숨소리
철썩 밀려와 부서지네.

개화(開花)

봄이 나를 피워내는가

전에 없던 폭풍이 마음을 치고,
머릿속은 사월의 바람으로 가득 차
몸은 한없이 나풀거린다.
코끝을 간지럽히는 풀내음, 쏟아지는 햇볕
그 번쩍이는 초록의 물결 위를 헤엄치고 싶다.
깊은 침묵 속에 갇혀버린 어둡고 차가웠던 봉오리
푸른 하늘아래 펼쳐질 나의 연분홍 꽃잎들아

마음을 다바쳐
마음을 다바쳐
피어나려무나

모든 것은 기다림으로 이루어지는 것임을
내 이제야 알게 되었으니.

3부

방 1

문을 닫고 방 안으로 들어서면
빛 한 점 들어오지 않는
암흑의 세계,
비로소 거짓을 벗고
숨을 쉰다.

살아 보겠다는 알량한 표정과
허무하기 그지없는 많은 말을 멈추고
온전히 마음껏 움츠러드는

닫힌,
내 단 하나의 안식처.

방 2
-내가 보이지 않는 내 방

깊은 어둠의 방에
홀로 덩그러니 누워
감았던 눈을 뜨면,
아무것도 보이지 않는다.

그렇게 뜬 눈으로
어둠을 응시하는 사이
어느새 나는 그 속에
녹아 내려

내가
산 것인지 죽은 것인지
살아서 죽은 것인지
죽어서 산 것인지
알 길이 없다.

존재란 이토록 쉬운 것인가

심장의 고동도 가는 숨소리도
어둠을 울리는
작은 소란에 지나지 않고
무엇도 증명해 주지 않는다.

다만, 본다는 것이
보인다는 것이
전부라는 사실을 알 게 될 뿐.

꿈

오랜만에 만난 친구는
내 편지를 받지 못했다고 했다.
생일을 축하하며 보낸 사진과 긴 글
우리는 함께 컴퓨터 앞에 앉아
친구의 메일함을 뒤적거린다.
쌓여 있는 수많은 광고를 삭제하며
네 생일에는 무엇을 했느냐고 물었다.
그는 사막에 다녀왔다 했다.
뜨겁고, 끝없는 그곳을 혼자
걷고, 걷고, 또 걸었다고
나는 늦었지만
너의 60번째 생일을 축하해라고 말하고
친구의 가냘픈 웃음이
사막의 바람처럼 스쳐 지났다.

잠에서 깨어나,
아무렇지 않게 마음이 아프다.
사막의 열기는 왜 이리 스산한지
사는 것은 왜 또 이렇게 고단한 것인지.

고백

방바닥에 엎드려 시를 쓴다.
지푸라기라도 잡는 마음으로

이미 망가진 몸과 정신은 온전해 지지 않고
아버지, 어머니 그리고 남편이 떠 넣어 주는
밥을 먹으며 산 지 여러 해
그러니 뭐라도 해야 하지 않겠는가

그래서 시를 쓴다.
예술장이들이 이 말을 들으면
시는 숭고한 것이라고 한소리씩 하겠지마는

또,
화려한 유흥이 넘치는 이 시대에
어디 시 읽는 이 있겠는가마는
그래도 나는 시를 쓴다.

글이 밥으로 변하지 않아도
내 사람들이 나의 마음에
귀 기울이고 있음을 알기에,
이렇게 뭐라도 해 보는 것이다.

지구

구겨버리면 아무것도 아닌 종잇조각에
살아 있는 것들이 매달려
울고, 웃고, 아픈
이상한 생물들의 행성.

어느 노동자의 항변

뭘 어쩌라는 거야
사람들이 감탄 할 만큼
성실하게 살아 왔는데
쉼 없이 배우고, 일하고
뭐든 긍정적으로 생각하며
노력했는데

변한 게 아무것도 없잖아
반평생 달리고 또 달렸는데

손에 쥐어진 것은 없고
내 목줄은 여전히 너희들에게 잡혀 있으니
도대체 나보고 어쩌라는 거야.

백수(白手)

분노가 치밉니다. 스스로 놀랄 만큼
당신들의 어떤 말도 내 귀에는 들리지 않아요.
그런 건 네 문제일 뿐이죠, 나와 상관이 없잖아요.

나는 허공에 붕 뜬 인간
어디에도 속하지 않은 인간

도망가고 싶을 뿐이죠, 이곳에서
지금 당장에라도 땅속으로 꺼질 수 있다면
사람노릇 못한다는 힐책과 자책과
앞으로도 계속 될 것 같은 불안과 두려움
결국 분노만이 내가 하루를 보내는 일입니다.

사는 게 상처고 독입니다.
아무것도 할 수 없는 내 허연 부끄러운 손
하지만, 사는데 까지는 살아보겠습니다.

부부들에게

제발 그런 말 좀 안 할 수 없니

하루 종일 육아와 살림에 지친 아내에게
"집에서 놀면서 뭐했어?"라는 말
하루 종일 직장에서 일로 허덕이는 남편에게
"네가 돈을 벌어주면 얼마나 벌어줬다고?"라는 말

서로의 도움으로 근근이 살아가면서도
어떻게든 서로를 무너뜨리려 안달하는
고약한 심보

닫혀라 그 입.

허영덩어리

멋진 카페에 앉아서 네가 말했지
"가난한 나라의 사람들을 도와주고 싶어."
뜻밖에 말에 고개를 들어 물끄러미 너의 눈동자를 본다.
"그냥은 싫고, 선한 마음을 가진 의사를 만나서 곁에서
도와주는 삶은 괜찮을 거야."
처음 알았다.
남의 불행이 너의 보람이 될 수 있음을
그럴 수 있다는 것을.

소셜 네트워크

지금 올린 글과 사진이
언제까지 어디까지 퍼져 나갈지
누구도 예측하지 못하는

친구의 친구, 그 친구 친구의 소식을
친구의 친구가 전해 듣는 기이한 시스템

어떤 이는 이 사회가 썩었다는 말을 하려고,
어떤 이는 자신이 이룬 것을 알리고 싶어서,
어떤 이는 오늘 아침에 만난 고양이 한 마리에 대해
말하기 위해 접속한다.
누군가 쓴 "배고프다"는 한 줄의 글에도
"정말이야?", "나도", "건강이 최곱니다"하며
댓글이 주르륵, 사연도 반응도 제 각각

여기저기, 저기여기
이렇게 저렇게라도 손잡아 보려 애쓰며
마음을 쏟았다 뱉었다 하는 구나
그러다 불현듯 쌓일 수 없는 정이지 싶어 서글퍼지면
책임도 부담도 없는 이 세계를
'회원 탈퇴합니다.'로 떠날 수 있으니

좋다고 해야 할 지
우습다고 해야 할 지

어쨌든 놀라운 이 시대의
공허한 관계 맺기

소셜 네트워크.

누군가가 그냥 나를 앞지르지 않았기에

폐지를 줍는 할머니에게
모아둔 종이를 전해드리자
할머니는 내 손을 잡고
"고마워서 어째, 고마워.
우리는 갚을 길이 없는 사람들이야."
라고 말했다.

더러운 차림 때문에
가게에서 물건을 사지 못하고
쫓겨난 할아버지에게
빵과 사과를 쥐어드리자
할아버지는 내 손을 잡고
"고마워서 어째, 고마워.
우리는 갚을 길이 없는 사람들이야."
라고 말했다.

당신들은 알지 못하리.
바닥으로 떨어져 뒹구는 약한 나를
거두고, 먹이고, 보살 핀 것은
이름도 모르는 낯선 이들이었다는 것을,

당신들은 알지 못 하리
우리 모두는 갚을 길이 있다는 것을.

지금 우리는

첫바퀴가 멈추면 돌아버릴 다람쥐,
바퀴를 계속 굴려야 한다.

4부

소매물도

그 투명한 짙푸른 바다
그 바다가 보이는 어떤 집을 떠올려
그 집의 안마당에는 평상이 놓여 있고
그 위에서 나는 가만히 바다를 바라봐
그 날의 햇살은 다정하고 바람은 나뭇잎들의 소리로 바삭거리지
그 곳에서는 그렇게 하루가 지나간대
그 곳을 가 본 적은 없지만은.

긍정주의자

당신은 긍정주의자
세상은 밝고 따뜻하다 말하네

컴컴한 고통 속에서 허우적대는 내게
그렇게 살면 너무 슬프지 않니 하고 웃음 짓네

무엇도 외면 할 수 없는
두려운 현실

세상의 빛에 눈 먼 당신은 어둠을 잃었네

그래,
당신은 긍정주의자.

삐삐 롱스타킹

삐삐 롱스타킹을 만나러 가자
기운 센 말괄량이 천하무적

엄마는 천사, 아빠는 식인종의 왕
아홉 살짜리 빨강머리 계집아이
매일매일 재미난 일을 찾아내는, 신나는 발견자
나쁜 사람은 혼내주고 착한사람은 도와주네

어떤 어른에도, 어떤 외로움에도
굴하지 않는 그녀는

어느 날 정원에 핀 꽃향기를 맡으며
이렇게 말했지
"아, 살아있다는 것은 정말 멋진 일이야."
세상에 휘둘리지 않는 그녀만이 할 수 있는 말

삐삐 롱스타킹을 만나러가자.

산책

내게 걷는 다는 건
살아있다는 것

뚜벅뚜벅 길을 따라 나선다.

분주히 오가는 많은 사람들
저들은 무엇을 얻기 위해 걷는 것일까

커다란 나무 그늘 아래 벤치에 앉아
조그맣게 움직이는 갑천(甲川)의 흐름을 들으며
멈춰 선 하늘과 땅을 본다.

나는 버리기 위해 안간힘을 썼다.
그래도 계속 쌓여가는 지겨운 업

끝없는 이 길을 걷다보면
발은 닳고 닳아 다시는
돌아올 수 없게 되려나

내게 걷는 다는 건
살아있다는 것.

자본주의

지워버리면 아무것도 아닌
한낱 숫자에 매달리게 하는

숫자가 사람을 버렸다.
숫자가 새를 죽였다.
숫자가 꽃을 밟고
숫자가 강물을 막는다.

숫자에
살아있는 것들이
숨죽이는

숫자 뒤에 숨어
퍼덕거리는 인간의
복잡한 욕망과 권력

여기서 탈출할 수 있는자
과연 누구인가.

프레카리아트

심장을 꺼내놓아야 한다.
토끼의 간을 햇볕에 말리듯
아무도 모르게
고통을 태워야 한다.

편지

열여섯.
학교에 갇혀
무너져가고 있던 즈음
한 통의 편지를 받았다.

가정형편이 어려워
공장에서 일 한다는
친구의 이야기,
사는 게 너무 힘들지만
저금을 계속하면 나처럼
고등학교에 갈 수 있다며
예전이 그리워로 끝난 글

한때 우리는 친구였다.

도무지 말이라고는 하지 않던 나와
가난과 어리숙함으로 선생과 학생들에게
외면당하던 너는
가끔 텅 빈 교실의 창가에 앉아
함께 햇볕을 쬐었고
나는 "바람이 따뜻해지고 있구나." 따위의
말을, 너는 다정한 웃음을 보여주었다.

그때 우리는 무엇을 나누었던가

시간은 흐르고
수차례의 봄과 가을이 지나가지만
문득 떠오르는 너의 편지
너의 웃음

이봐, 친구
이 글을 본다면
연락을 하시게

나는
아직
이렇게
여기에
있네.

오월

내 고향 광주는
오월이면 꽃이 피었다.

뿌연 최루탄 연기에
둘러싸여 있던 금남로

우 하고 몰리던 사람들과
그들을 쫓던 전경과
그 사이에 멈춰버린 차들

나는 늘 그것을 지켜보았다.

사람들 머리위로 내리쳐지던
차가운 쇠파이프의 둔탁한 소리

깨진 공중전화 부스에
쭈그리고 앉아 떨던 기억

아, 이것은 사실이 아닌지도 모른다.

같이 있었으나 그런 일은 없었다
말하는 이들이 있으므로

모든 것이 잊히고 사라지는 지금

다시 돌아가고 싶지 않은 그곳의
상흔들이, 오월의 꽃향기를 타고
나를 뒤흔드는 밤.

어째서 나는 자꾸만 슬퍼지는가

어째서 나는 자꾸만 슬퍼지는가
해 지는 저녁 평화로운 퇴근길
아파트 단지 뜰 위에 뛰어 노는
아이들의 웃음소리
일 층 우리 집 창가에 서서
불 켜진 안을 가만히 들여다보면
모든 것이 순조롭게 흘러가는데

어째서 나는 자꾸만 슬퍼지는가
이유를 알 수 없는 서러움에
온 길을 되돌아, 누구도 도달할 수 없는
세상 밖으로
이 정도면 되었다 되뇌고 되뇌도
분명 제자리에 들어앉아 있건만

어두워가는 하늘이
사그라지는 풀 소리가
차갑게 밀려드는 밤바람에
마음이 텅 비어간다.

아직 내 영혼은
무엇을 찾아 헤매고 있는가.

나비

연약한 날개 짓
바람에 흘려 춤을 춘다.

창공을 가르는
현란한 빛깔은 서글프게 고와

내 마음을 삼키고

아무것도 아닌 이곳에
아름다움,
그 하나의 의미를 남긴다.

5부

정거장

마흔 한 살의 나를
아버지는 발톱이 길다고 깎아 주려하고
어머니는 단감 한 조각 손에 쥐어주며
꼭꼭 씹어 먹으라 하신다.

마흔 한 살의 나는
일흔 넷의 아버지 앞에서
일흔 둘의 어머니 앞에서
헤헤 웃으며 아이처럼
그렇게, 그렇게
머물고 있다.

이상주의자

너무 어두운 곳을 바라보고 있다가
허황된 세계를 미리 앞세워
허둥지둥 쫓고 나니
남겨 진 것은 깊은 슬픔

그 고통의 가운데 알게 된 건
분노는 답이 아니라는 것
사람을 미워하는 가운데
답은 결코 찾을 수 없다는 것

이제, 현실을 곧게 보고
슬슬 문제를 풀어간다.
의사가 내린 처방:
"대충 사세요, 그게 맞아요."

네, 나를 위해
모두를 위해
땅에 발을 딛고 서서
한 걸음 한 걸음
어쩌면 다른 내일을
기다리며.

안도현의 시 '그리운 여우'에 대한 반론

버텨온 긴 날들 중
여우를 기다리지 않은 때가 없다.
허공에 뜬 낮과 잠 못 이룬 밤은 얼마던가
혼자 방안을 서성거리며
또 집 안팎을 내리 살피며
여우의 반짝이는 눈빛을
아스라한 그 꼬리를 소망한다.
하지만 여우는 저 멀리 아무도 모르게 사라지고
뒤척이는 밤은 쌓여가고

그래, 여우는 다시 돌아오지 않을 거야
흰 눈이 펄럭이는 언덕을 타고
앙상한 싸리문을 지나
누군가의 집을 어슬렁거릴,
그곳의 부뚜막을 킁킁거리며 보리 빛 보드라운 털을 쳐댈
여우는 이제 이곳에 없다.
그 서러운 기다림의 시간을 심장 속으로 구겨 넣는다.
깊고 검은 터널의 밤을 지나 하얗게 뒤덮인 세상을
홀로 마주할지니
잘 가라 여우여,
너는 너의 세계로 나는 나의 세계로.

유서

긴 시간 곁에 있어줘서 고마워요.
나의 골똘한 성정으로 외롭게 해서
미안합니다. 함께한 추억과 노력이
내 인생의 전부였군요.

감자,
옥수수,
포도,
딸기,
망고

당신이 나를 위해 두 손에 쥐고
끝없이 물어다 준 것들
찌고 삶고 깎아 입에 넣어준 것들

우리의 시간 중 제일 좋은 때는
나의 환한 웃음이라고 했나요.
고맙습니다.
나는 부족하고 방황은 깊었지만
사랑은 속절없이 아팠지만
그래도 당신덕분에 잠시나마
행복했습니다.

희망

당신들이 어떻게 생각하든 어떻게 살든
행복하게 살겠다.
인간의 이기심, 계속되는 잔인함을 보며
스스로 소리 내어 되새기는 말

누가 뭐래도
우리는
우리의 미래를 준비한다.

누가 뭐래도
우리는
우리의 미래를 준비한다.

따뜻하게
따뜻하게
모여서
행복하게
행복하게
꽃 피워간다.

고통의 근원

모든 고통은 망상에서 시작하지
욕심도 그 뿌리는 망상이야
이 망상으로 부터 벗어나는 길은

결국 진실을 꿰뚫어 보는 눈.

인생

갈 때까지 가 보자
견디다가, 버티다가, 그러다가
언젠가는 길을 찾을지도 아니라면
끝이라도 오겠지

모든 것의 시작과
마지막은 늘 같기에
한없이 고요하고
넘치게 한가로운 진공(眞空).

바람

아무리 둘러 봐도
아무리 쥐려 해도
바람 속에는 아무것도 없어요.

그러나 바람 부는 날에
그 속에 서면 나는
하늘로 날아오를 것만 같아요.

때로는 따사로운 햇볕
때로는 시원한 비
때로는 하얀 눈송이와 함께
슬며시 내 주위를 감싸는
바람

아, 나는 아무것도 없는 바람 속에서
하늘을 세상을 뛰어 넘고 싶어요.

민주주의

"민주주의는 피를 먹고 자란다."
모든 고통은 짓밟고자 하는 자와
되살아나려는 자들의 대결이다.
그러나 우리는 우리의 피가 끊임없이 떨어져 나가듯
되몰아치듯 자라고 또 자라서
기어이 이겨내리라.
간절한 바람과 굳은 의지,
이 길이 아니면 안 된다는 것을
깊은 마음으로 알고 있기에
오월의 광주에서 지금 미얀마의 거리에서
쏟아지는 피의 세계에서
두렵지만 두려움 없이
아프지만 아픔 없이
계속 자라나는 길

당신들은 혐오를 말하지만
나는 사랑을 말해야지
당신들은 미움과 증오를 품게 하지만
나는 부드러움과 다정함을
당신들은 지독한 잔인함과 분열을 만들지만
나는 따스함과 협력을
당신들은 오직 자신만을 위해
나는 모두를 위해서

이것이 사람의 길
이것이 우리의 길

동지여, 정진하자.

몽골의 밤

광활하고 푸른 초원,
그리고 새벽녘에 홀로 본 흘러가는 별 무리
땅으로 다 내려온 수많은 별 속에서
아주 커다랗게 빛나는
일곱 개의 별빛을 보았다.

눈부시게 찬란하며
오묘하게 반짝거리는
가슴 뛰는 강렬한 빛
북두칠성을 보았다.

누구에게도 말하지 못할
누구도 믿지 않을
잊지 못할 별들의 밤.

영혼의 노래, 詩

시 모임을 한다. 누구는 시도 공부하느냐고 웃어젖혔다는데, 그래도 우리는 모였다. 회원은 셋 서진배 시인, 노현승 대표 그리고 나, 이상한 조합이다. 전에 살갑게 대화 한번 나눈 적 없던 사이인데 시가 좋다고 이렇게 함께하니 시란 도대체 뭐람? 안도현, 박준, 이시형의 시를 읽었다. 시어를 허공에 풀어 휘휘저어 낚아 올린다. 가끔은 꿈틀거리나 잽싸게 패대기도 쳐본다. 이리 저리 부유하며 떠도는 언어. 표정도 향기도 없는 것이 사람의 마음을 흔든다. 시란 도대체 뭐람? 고통의 모퉁이에서 홀로 노래하는 시인아, 서러워말기를. 당신의 영혼은 무지개를 타고 밤하늘을 수놓으리. 그러니 찬란하게, 찬란하게 生을 살아내어라. 이다음에 새싹처럼 쑥쑥 자라 시인이 되겠다. 왜냐하면 지금 나는, 시도 공부하니까!

작가소개

르포 '누가 우리의 노동을 함부로 취급하는가'(2014)를 잡지에 기고했고, 대전에서 활동하는 극단을 지원하기 위해서 오마이뉴스에 스토리펀딩 '마당극패 우금치 별별마당 프로젝트: 1편~4편'(2015)을 썼다. 사회학을 공부한 연구자로 주로 정책연구를 해왔지만 이제 문학으로 사람들과 이야기를 나누려고 한다.